FRANCIS POULENC

LE BESTIAIRE
OU CORTÈGE D'ORPHÉE

Poèmes de Guillaume Apollinaire

musique vocale française

DURAND

Le Bestiaire ou Cortège d'Orphée (1919)
The Bestiary or The Procession of Orpheus (1919)
poèmes de | poems by: Guillaume Apollinaire (1880–1918)

En 1918, âgé de dix-neuf ans, alors qu'il était soldat au front à Port-sur-Seine, Poulenc reçut d'Adrienne Monnier, célèbre libraire de la rue de l'Odéon et amie d'artistes comme Gide, Valéry et Joyce, un recueil de poèmes de Guillaume Apollinaire intitulé *Le Bestiaire ou Cortège d'Orphée*, paru pour la première fois en 1911 et illustré avec des gravures sur bois réalisées par Raoul Dufy. Poulenc eut un véritable coup de foudre pour ces poèmes et en mit aussitôt douze en musique, dans une première version pour voix et petit ensemble d'instruments (quatuor à cordes, flûte, clarinette et basson) et une autre version pour voix et piano. Plus tard, suivant les conseils de Georges Auric, il réduisit le cycle à six compositions qu'il publia avec une dédicace à Louis Durey qui, comme Poulenc et Auric, était un membre du Groupe des Six avec Darius Milhaud, Arthur Honegger et Germaine Tailleferre.

La première exécution, en forme privée chez Madame Vignon, fut interprétée par Suzanne Peignot avec Poulenc au piano; l'exécution publique eut lieu le 8 juin 1919, à la galerie de Léonce Rosenberg avec Jeanne Borel et Poulenc.

Poulenc demande que le cycle soit exécuté non pas avec ironie, mais «gravement», pour souligner la mélancolie qui émane des poèmes d'Apollinaire, un concept qu'il réaffirme lors d'une conférence concert qui eut lieu le 20 mars 1947, lorsqu'il rappelle: «Chose capitale: j'ai entendu le son de sa voix. Je pense que c'est là un point essentiel pour un musicien qui ne veut pas trahir un poète. Le timbre d'Apollinaire, comme toute son œuvre, était à la fois mélancolique et joyeux. Il y avait parfois dans sa parole une pointe d'ironie [...]. C'est pourquoi il faut chanter mes mélodies apollinairiennes sans insister sur la cocasserie de certains mots»[1].

Il s'agit de poèmes très courts, certainement influencés par le courant dadaïste. Dans «Le Dromadaire», le rythme inexorable et le chromatisme rude confiés à la main gauche du piano semblent suggérer la virilité fière de Don Pedro d'Alfaroubeira, explorateur portugais qui a parcouru le monde avec ses quatre dromadaires. «La Chèvre du Thibet» est une chanson d'amour délicate, un peu comme «La Sauterelle» en un certain sens. Avec ses écarts de nuances, marqués et soudains, «Le Dauphin» semble suggérer les sauts du dauphin, tandis que «L'Écrevisse» évoque les mouvements à reculons typiques du crustacé. «La Carpe» est un petit chef-d'œuvre qui, dans le mouvement obstiné, fait allusion au mouvement lent et triste de la carpe, «poisson de la mélancolie». Pour ce poème, qui sent l'eau croupie et l'éternité, Poulenc avait écrit qu'il s'était inspiré de la vue d'un étang où un pêcheur jetait tristement ses filets.

[1] « Mes mélodies et leurs poètes », *Conferencia : Journal de l'Université des Annales*, n° 36, 15 décembre 1947, p. 507-513.

In 1918, while he was at the front in Port-sur Seine, the 19-year-old Poulenc received from Adrienne Monnier, the famous bookseller in rue de l'Odéon and friend to artists like Gide, Valéry and Joyce, a collection of poems by Guillaume Apollinaire entitled *Le Bestiaire ou Cortège d'Orphée*. It was published for the first time in 1911 with a series of woodcuts by Raoul Dufy. For Poulenc it was like being struck by a thunderbolt, and he immediately set twelve poems to music, in a first version for voice and small instrumental ensemble (string quartet, flute, clarinet and bassoon), and then in another version for voice and piano. Subsequently, at the suggestion of George Auric, he limited the set to six pieces and published them with a dedication to Louis Durey, a member, like Poulenc and Auric, of Les Six, together with Darius Milhaud, Arthur Honegger, and Germaine Tailleferre.

The first performance of the work, held privately in the home of Madame Vignon, was interpreted by Suzanne Peignot with Poulenc on the piano; the first public performance took place on 8 June 1919 at the gallery of Léonce Rosenberg with Jeanne Borel and Poulenc.

Poulenc stipulates that the set be performed not with irony, but "seriously," to underline the melancholy present in Apollinaire's poems, a concept that he reiterated in the course of a lecture-concert held on 20 March 1947. In this he insisted, "Something that's important: I heard the sound of his voice. I think that this is the essential point for a musician who does not wish to betray a poet. The timbre of Apollinaire, like all his work, was both melancholic and joyful. At times in his words there was a touch of irony [...] That's why it's necessary to sing my songs on Apollinaire's poems without insisting on the comic character of certain words."[1]

The poems in question are very short works influenced certainly by the Dadaist movement. In "Le Dromadaire" the inexorable rhythm and the crude chromatic passages entrusted to the left hand of the piano seem to conjure up the proud masculinity of Don Pedro d'Alfaroubeira, the Portuguese explorer who traversed the globe with his four Arabian camels. "La Chèvre du Thibet" is a delicate love song, as is in part "La Sauterelle." "Le Dauphin," with its vigorous and unexpected dynamic leaps, seems to suggest the dives of the dolphin, while "L'Écrevisse" evokes the crayfish's characteristic backward steps. "La Carpe" is a tiny masterpiece; in its dogged gait it alludes to the slow and mournful movement of the carp, "the fish of melancholy." For this piece, which reeks of stagnant water and eternity, Poulenc wrote that he had been inspired by the vision of a pond in which a fisherman casts his net with melancholy.

[1] "Mes mélodies et leurs poètes", *Conferencia: Journal de l'Université des Annales*, no. 36, 15 December 1947, p. 507–513.

Le Dromadaire
Avec ses quatre dromadaires
Don Pedro d'Alfaroubeira
Courut le monde et l'admira
Il fit ce que je voudrais faire
Si j'avais quatre dromadaires.

La Chèvre du Thibet
Les poils de cette chèvre et même
Ceux d'or pour qui prit tant de peine Jason
Ne valent rien au prix
Des cheveux dont je suis épris.

La Sauterelle
Voici la fine sauterelle
La nourriture de Saint Jean
Puissent mes vers être comme elle
Le régal des meilleures gens.

Le Dauphin
Dauphins, vous jouez dans la mer
Mais le flot est toujours amer
Parfois ma joie éclate-t-elle ?
La vie est encore cruelle.

L'Écrevisse
Incertitude, ô! mes délices
Vous et moi nous nous en allons
Comme s'en vont les écrevisses
À reculons, à reculons.

La Carpe
Dans vos viviers dans vos étangs
Carpes que vous vivez longtemps !
Est-ce que la mort vous oublie.
Poissons de la mélancolie.

The dromedary
With his four dromedaries
Don Pedro d'Alfaroubeira
Wandered the world and marvelled at it.
He did what I would like to do
If I had four dromedaries.

The Tibetan goat
The hair of this goat, and even
The hair of gold which took Jason so much effort
Are worth nothing compared to
The hair of her I love.

The locust
Here is the delicate locust
The food of St John.
Let my verse* be like her
A treat for the best people.

The dolphin
Dolphins, you play in the sea
But the water is always bitter
At times my joy bursts out
But life is still cruel.

The crayfish
Uncertainty, o! my delights
You and I we proceed
Just like the crayfish proceeds
Backwards, backwards.

The carp
In your fishtanks, in your ponds
Carp, you live so very long!
Has death forgotten you,
Fish of melancholy?

* The original French, vers, is a play on words which cannot be rendered in English, meaning both "grubs" (like locusts) and "verse".

à Louis Durey

Le Bestiaire
ou Cortège d'Orphée
Poèmes de Guillaume Apollinaire

Tonalité originale
Original key

I

Le Dromadaire

Éditions de la Sirène (Éditions Max Eschig), Paris
© 2021 Éditions DURAND, Paris, France

DF 16685

Don Pe - dro d'Al - fa - rou - bei - ra

Cou - rut le monde et l'ad - mi - ra

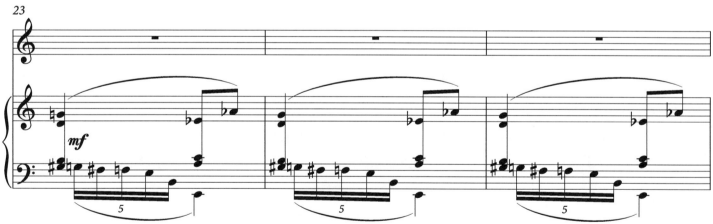

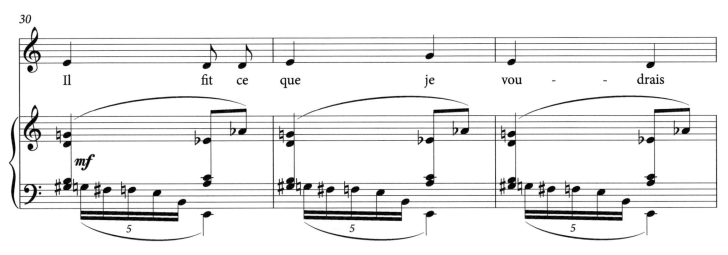

Il fit ce que je vou - - drais

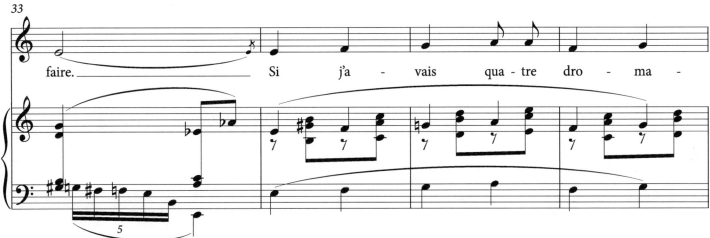

faire. _____ Si j'a - vais qua - tre dro - ma -

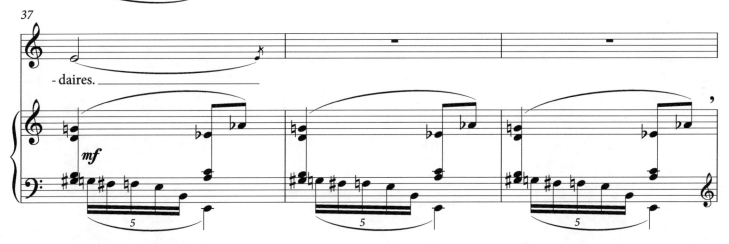

- daires. _____

Allegro ♩ = 168

Allegro ♩ = 168

mf

sans pédales, sans nuances

sans ralentir

bref

Ped.

II

La Chèvre du Thibet

III
LA SAUTERELLE

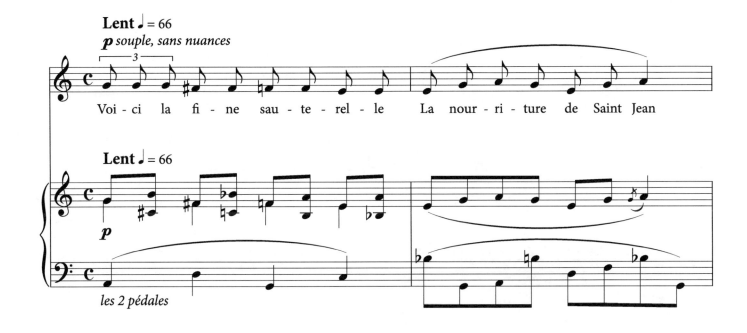

Voi - ci la fi - ne sau - te - rel - le La nour - ri - ture de Saint Jean

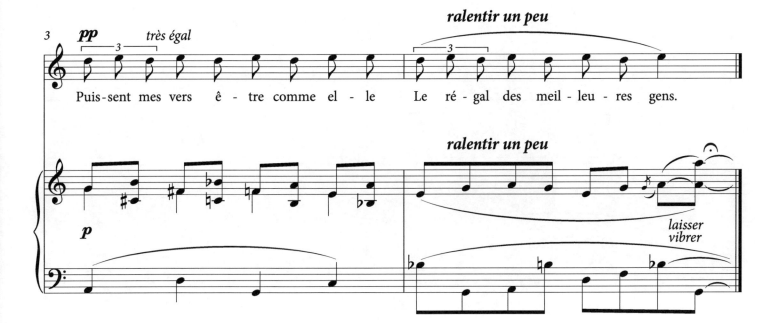

Puis-sent mes vers ê - tre comme el - le Le ré - gal des meil - leu - res gens.

IV
LE DAUPHIN

Animé ♩ = 136

sans pédale

très souple

ralentir

Dau - phins, vous jou-ez dans la mer Mais le flot est tou--jours a - mer Par - fois ma joie é - cla - te - t'elle? La vie est en-co-re cru - el - le.

mf

V
L'ÉCREVISSE

Incertitude, Ô! mes délices Vous et moi nous nous en allons Comme s'en vont les écrevisses À reculons, à reculons.

VI

La Carpe

Très triste – Très lent ♩ = 58

pp sans nuances

les 2 pédales

Dans vos vi-viers dans vos é - tangs   Car - pes   que vous vi-

- vez long-temps !   Est - ce que la mort   vous ou - blie.

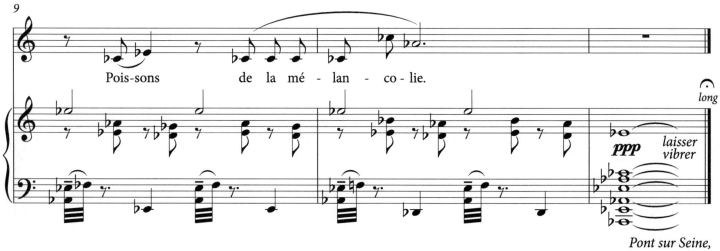

Pois-sons   de la mé - lan - co - lie.

ppp   *laisser vibrer*

long

Pont sur Seine,
avril–mai 1919